La Iniquidad

Libro de Estudio

Ana Méndez Ferrell, Inc

La Iniquidad

Libro de Estudio

Mi libro "La Iniquidad" surge de la gran necesidad que existe dentro del cuerpo de Cristo, de ver el pueblo de Dios liberado y gozando de todas las bendiciones que Dios proveyó para nosotros a través de Su Hijo.

Ser libres de la iniquidad no es un asunto automático, ni rápido, que se pueda llevar a cabo con una simple oración.

Requiere primeramente que los ojos de nuestro entedimiento sean abiertos para darnos cuenta lo mucho que necesitamos este tipo de liberación. Luego, es necesaria la dedicación y la búsqueda dentro de nuestro interior de cada una de las racíes que por generaciones han estado produciendo pecado y maldiciones en nuestra línea generacional.

La intención de escribir este libro de estudio es ayudarle a que su liberación sea plena y, también adiestrarlo para que ayude a otros a ser verdaderamente libres.

Este es un magnífico material para ser estudiado en los grupos de casas y en institutos bíblicos.

Mi oración es que estas páginas le sean de gran bendiciones y que Dios lo levante para liberar a todos los que Dios ha puesto a su alcance.

Dra. Ana Méndez Ferrell

Ana Méndez Ferrell, Inc

La Iniquidad, Libro de Estudio.
2ª Edición 2012.

Todas las referencias bíblicas han sido extraídas de la traducción Reina Valera, Revisión 1960 a menos que se indique lo contrario.

Categoría: Educacional / Liberación.

Printing: Estados Unidos de América.

Publisher by: Ana Méndez Ferrell, Inc.
P. O. Box 141
Ponte Vedra, Florida, 32004-0141
Estados Unidos de América

www.AnaMendezFerrell.com
www.VoiceOfTheLight.com

ISBN-13: 978-1933163-68-0

Contenido

INTRODUCCIÓN

Encierre en un círculo la respuesta correcta.

1) ¿Por qué tenemos que ser libres de iniquidad?.

a) Para destruir los fracasos, las ataduras y las maldiciones de las que no podemos salir.
b) Para ser salvos.

2) Uno de los mayores obstáculos que nos impide poseer las riquezas de Su Gloria es:

a) El pecado
b) La rebelión
c) La iniquidad

CAPÍTULO 1
¿QUÉ ES LA INIQUIDAD?

3) ¿Qué es la iniquidad?

a) Lo que se tuerce del camino recto y perfecto de Dios
b) Son nuestros pecados y rebeliones
c) Un cordón espiritual, que graba todos los pecados del hombre y que es la herencia para las siguientes generaciones.
d) Lo que la Biblia llama "el cuerpo del pecado"
e) La semilla diabólica que origina todo mal, transmitida al hombre desde su nacimiento.
f) La suma maldad del hombre

4) La maldad es la semilla diabólica que origina todo mal, transmitida al hombre desde su nacimiento, impregnada en el corazón con pensamientos e intenciones opuestas a la justicia de Dios.

a) Verdadero
b) Falso

5) ¿Cuál es el origen de la iniquidad?

a) El pecado de desobediencia que cometieron Adán y Eva al seguir la idea de Satanás
b) La caída de Luzbel cuando lleno de belleza y perfección da cabida a un pensamiento que se desalínea de Dios.

6) ¿Es la iniquidad una "sustancia espiritual" que origina la maldad?

a) Verdadero
b) Falso

7) ¿Son las palabras maldad e Iniquidad sinónimas?

a) Verdadero
b) Falso

8) La Iniquidad trae al hombre, desde el momento de su concepción, toda información o herencia espiritual de maldad establecida.

a) Verdadero
b) Falso

9) El "cuerpo del pecado" se origina en el espíritu e invade el alma y el cuerpo como un lodo que lo ensucia todo.

a) Verdadero
b) Falso

10) La iniquidad es donde se encuentra la legalidad de Satanás para robarnos y oprimirnos. Es lo que nos impide recibir la plenitud de las bendiciones de Dios.

a) Verdadero
b) Falso

11) La concupiscencia es: (página 16 del libro)

a)____ El trabajo que realiza Satanás permeando el corazón del hombre, para poner en el todo deseo pecaminoso.
b)____Una semilla diabólica que origina todo mal.

12) La Iniquidad es la principal puerta que tiene Satanás sobre la vida de todo ser humano:

a) Creyente
b) No creyente
c) Ambos

13) La Iniquidad da como producto el arrastrar a personas que aparentan ser buenas a cometer pecados abominables.

a) Verdadero
b) Falso

14) Dios visita trayendo juicio sobre:

a) Sus pecados
b) Sus rebeliones
c) La iniquidad

15) Los juicios, pruebas, tribulaciones, desiertos, etc., que padecen las personas son el resultado de una acción divina sobre su vida, con el fin de alinearlos con el Padre.

a) Verdadero
b) Falso

16) Podemos ser libres de la Iniquidad, tan solo por medio de un profundo arrepentimiento de nuestros pecados en el nombre de Jesús.

a) Verdadero
b) Falso

17) Completa las líneas en blanco con las palabras claves de la página 18.

Dios no trata el mal en forma genérica. El es tremendamente ________________ y también es así como nosotros tenemos que responder en contra de ________________________________
____

Dios quiere que el diablo ______________________________con que atacarnos.

18) En Isaías 53:4,5 y 10 ,11 podemos ver que la cruz abarca conceptos de los que debemos ser liberados, tales como enfermedad, dolor, rebelión, iniquidad, pecado, aflicción del espíritu.

a) Verdadero
b) Falso

19) Según la página 21, en Levíticos 16:21 nos muestra que solo por medio de una confesión especifica de nuestras iniquidades, rebeliones y pecados es posible ser lavados por nuestro Señor.

a) Verdadero
b) Falso

20) Une con una línea el significado correcto:

a) Iniquidad Voluntaria	Raíz de los pecados cometidos y que todavía nos tientan.
b) Iniquidad Conciente	Con todo conocimientote causa y deseo de hacerlo.
c) Iniquidad Inconciente	No es fácil de detectarla, puede ser la causa de problemas, enfermedades y otros males.

21) El hombre solo se puede entender de manera integral, es decir combinando cuerpo, alma y espíritu.

a) Verdadero
b) Falso

22) El escaso conocimiento del alma y del espíritu es lo que mantiene a millones de personas atadas a desiertos y tribulaciones sin encontrar una salida.

a) Verdadero
b) Falso

23) Según estos versos bíblicos, consideras que hay una contaminación "espiritual" de la que tenemos que limpiarnos, como creyentes:

Así que, amados, puesto que tenemos tales promesas, limpiémonos de toda contaminación de carne y de espíritu, perfeccionando la santidad en el temor de Dios.

2 Corintios 7:1

Y el mismo Dios de paz os santifique por completo; y todo vuestro ser, espíritu, alma y cuerpo, sea guardado irreprensible para la venida de nuestro Señor Jesucristo.

1 Tesalonicenses 5:23

a) Si
b) No

24) Marca con una X el componente del espíritu que corresponde a las siguientes definiciones:
Recibimos revelación de parte de Dios
Se manifiestan los dones de palabra de ciencia, profecía y palabra de sabiduría
Es mi espíritu detectando lo que está sucediendo en el ámbito invisible

___La Comunión ____La Intuición ___La Mente del Espíritu

Está formada por entendimiento, inteligencia espiritual y sabiduría de Dios.
Es donde se nos es dado a conocer cosas de Dios, en forma sobrenatural, que nadie nos ha enseñado.

Es donde Dios revela los grandes misterios de la ciencia, tanto a justos como a injustos.

___Los Sentidos del Espíritu ___El Asiento del Poder ___La Mente del Espíritu

Une mi espíritu a Dios
Me permite oír la voz de Dios claramente,
Establece en mí el Señorío de Cristo
Me permite penetrar en el mundo espiritual y los tesoros escondidos de Dios

___La Comunión ___La Conciencia ___La Mente del Espíritu

Es el área en la que radica el poder de Dios
Es por donde se manifiestan los dones de Milagros, de sanidad y los prodigios de Dios.
Podríamos decir que es la representación de la mano de Dios sobre nosotros

___El Asiento de Poder ___La Comunión ____La Mente del Espíritu

Está íntimamente ligada al Corazón del hombre
Despertó cuando el hombre comió del árbol del conocimiento del bien y del mal
Es donde radica el temor de Dios y la sabiduría de Dios

___La Herencia ___La Comunión ____La Conciencia

Nos ayuda a diferenciar la procedencia de lo que estamos percibiendo, ya sea de Dios o de las tinieblas.
Estos componentes del espíritu están conectados a los sentidos del alma y se nutren unos a otros.

___La Intuición ____El Asiento del Poder ___Los Sentidos del Espíritu

Elemento intangible en el que se graba toda la información espiritual de generación en generación.

___La Herencia ____La Mente del Espíritu ___La Conciencia

NOTAS

CAPÍTULO 2
EL CONFLICTO ENTRE LAS DOS SEMILLAS

25) Explique brevemente, con sus propias palabras el significado de Iniquidad.

____

____

____

26) Escriba cuáles son las dos simientes, en Génesis 3:15, que están en continuo conflicto y describa cuál es la naturaleza de cada una.

____

____

____

27) La semilla divina es engendrada en nosotros desde el momento de nuestra concepción.

a) Verdadero
b) Falso

28) Cuando recibimos la semilla divina al recibir a Cristo en nuestra vida, comienzan los conflictos internos entre ésta y la carne.

a) Verdadero
b) Falso

29) Marque con una X la o las respuestas correctas
La carne es:

a)____Donde toda la herencia espiritual de Iniquidad es vertida en nosotros.
b)____Una semilla engendrada en nosotros que nos activa al pecado.
c)____La "estructura" que nos desvía de la justicia divina.
d)____Nuestra formación "interna" como criaturas caídas.
e)____La evidencia manifestada de la Iniquidad.

30) Debemos purgar la Iniquidad de nuestra ser, de lo contrario alimentara continuamente la vida de la carne enemistándonos así con Dios e invadiéndonos de muerte.

a) Verdadero
b) Falso

31) La Iniquidad impide el desarrollo de una vida espiritual efectiva.

a) Verdadero
b) Falso

32) Tratar con los frutos de la carne es tan solo una obra externa.

a) Verdadero
b) Falso

33) Describa, el significado de "Caminar en el Espíritu"

____

____

34) Complete las líneas en blanco, con las palabras claves de las páginas 44 y 45.

No es la voluntad del hombre la que destruye las obras de la carne sino...______________

____

____

La simiente de Dios trae muerte a la simiente diabólica en la carne. Esto sólo se logra ______________ ____ ________ ______ ____________ y pasando tiempo en ______ ____ con Dios.

____

____

____

35) Según la pagina 45, explique cómo afecta la religión sobre la carne.

____

____

____

____

36) Según la página 46, mencione algunas cosas que tienen apariencia de espiritual pero que son hechas en la carne.

____

____

____

____

37) El diablo gobierna en nuestras vidas a través de la Iniquidad, invadiéndola de religiosidad y matando así la vida del Espíritu.

a) Verdadero
b) Falso

38) En los caminos intangibles del Espíritu ya no podemos controlar lo que sucederá; ni tampoco ponerle palabras o explicaciones humanas.

a) Verdadero
b) Falso

39) En Romanos 8:1-2 vimos que el Apóstol Pablo nos muestra claramente que hay dos leyes que se oponen entre si, explica cuáles son.

____

____

____

____

____

40) Cuando hay Iniquidad en un creyente su crecimiento es lento. Manifestará negativismo y su fe unos días será alta y otras baja y hasta nula. La Iniquidad siempre trae consigo sentimientos de culpa y se esforzará por tratar de quitar la paz y llenarlo de muerte.

a) Verdadero
b) Falso

41) En la página 49 encontramos un objetivo claro de la Iniquidad, menciónelo.

1) Mantenernos enfocados en el mundo.
2) Que seamos llevados al infierno

42) La persona espiritual está satisfecha sólo cuando Dios le da un ministerio grande.

a) Verdadero
b) Falso

43) Complete los espacios en blanco, según Romanos 8:5-7, según la versión bíblica del libro.

"Porque los que son de la carne, ____________ ___ _____ _________ ___ ___ _________; pero los que son del Espíritu ___ _____ _________ _____ ______________. Porque el ocuparse de la carne es _________; pero el ocuparse del Espíritu es _______ y es _____. Por cuanto los designios de la carne son ________________ contra _______; ....

44) No se puede SER del Espíritu y SER de la carne al mismo tiempo. O se es del uno o se es del otro.

a) Verdadero
b) Falso

45) Algunos tienen como teoría que se puede ser de la carne y del Espíritu y que la justicia de Dios nos justifica, no importa como vivamos. ¿Es ésta teoría conforme a Dios?

a) Verdadero
b) Falso

NOTAS

____
____
____
____
____
____
____
____
____
____
____
____

CAPÍTULO 3
LAS MORADAS DE INIQUIDAD

46) El alma de Adán fue creada para morar en Dios, en una morada celestial.

a) Verdadero
b) Falso

47) Mencione que constituía la Morada Espiritual de Adán, a través de la cual podía gobernar la tierra con el pensamiento y la mente de Su Creador.

1)
2)
3)
4)

48) Nuestro Creador dejó en las manos de Adán una herramienta para reinar, la cual nadie la podría tocar, ni aún Dios mismo, ni mucho menos el Diablo. ¿Cuál es esa herramienta?

___

___

___

49) La mujer perdió esa herramienta para reinar, usando su propia voluntad para entrar en el terreno "propuesto" por el diablo.

a) Verdadero
b) Falso

50) Adán y Eva perdieron el poder de Reinar, pero sus espíritus no perdieron su Morada Espiritual. Sus almas siguieron unidas a Dios, pero perdieron su vida eternal.

a) Verdadero
b) Falso

51) Describa cuáles son las Moradas de Maldad en las que el alma caída edifica su habitación espiritual y de donde proviene?

____

____

____

52) ¿Cuál es la escritura que menciona la existencia de éstas Moradas de Maldad?

____

____

53) Las Moradas de Iniquidad controlan, dominan, afectan y llenan de males a las sociedades en las que el hombre caído vive.

a) Verdadero
b) Falso

54) Después de la caída, Dios dejo de señorear la tierra a través de sus hijos y desde entonces gobierna la muerte y el diablo "por medio de la Iniquidad".

a) Verdadero
b) Falso

55) El comportamiento del Hombre se conforma a su morada. Por ejemplo, en el caso del rey Nabucodonosor vemos como Dios juzgó su orgullo y su Iniquidad y éste adopto una mentalidad de animal en la cual quedó cautivo.

a) Verdadero
b) Falso

56) Complete las líneas en blanco con las palabras claves de la página 56
Las moradas de Iniquidad son moradas ______________________,________________o______
________________ desde las cuales ____________________ y desde donde ____________
_______ ______________ que _____________________________ proviene de Dios.

57) Podríamos decir que una morada es un molde invisible que rodea nuestra alma, que le da forma, personalidad e identidad.

a) Verdadero
b) Falso

58) Las Moradas de Iniquidad son edificadas desde que somos niños, es donde están construidas todas sus limitaciones.

a) Verdadero
b) Falso

59) Podemos destruir estas moradas de Iniquidad con la frase: "Señor, Señor, ven a vivir en mi Corazón", aceptando así a Cristo en nuestras vidas y siendo, automáticamente, totalmente restaurados.

a) Verdadero
b) Falso

60) Marque con una cruz la respuesta que indica como podemos desechar las Moradas de Iniquidad

___Por el poder de Dios.
___Por nuestra determinación para derribarlas y por fe.
___Cambiando la mentira por la verdad ilimitada de Dios.
___Empezando a creer en forma diferente con respecto a nosotros mismos.
___Con una oración profunda y sincera cuando recibimos a Cristo en nuestras vidas.
___Sometiendo nuestra voluntad a la de Dios.
___Viéndonos en toda la grandeza y poder con las que Dios nos ve, y actuar de ésta manera no dando lugar a ninguna duda.
___Reconociendo que éstas moradas de Iniquidad, existen en nosotros y que están controlando nuestras vidas.
___Pidiéndole a un ministro, un domingo en la iglesia, que nos imponga manos y ore por nosotros.

61) En orden alfabético, escriba las 15 estructuras de moradas de Iniquidad que se mencionan en la enseñanza.

____
____
____
____
____
____
____
____
____

62) Explique con sus palabras que sucedería si un hombre que vive en pobreza y escasez, comienza a caminar con Cristo, recibe liberación, sanidad interior pero no se deshace de la estructura de pobreza y escasez en la que vive.

____

____

63) Escriba con sus propias palabras un ejemplo que describa la vida de un Cristiano viviendo dentro de moradas de Iniquidad, puede escoger cualquiera de los 15 ejemplos de estructuras del libro u otras.

____

____

____

____

____

____

64) La razón por la que muchas personas recaen en sus pecados, es porque por un lado quieren dejar esa forma de vivir, y se alejan por un tiempo, pero nunca desarraigaron la Iniquidad ni destruyeron la morada que edificó ese pecado en su alma.

a) Verdadero
b) Falso

65) Encuentre las palabras claves en la página 61 y complete los espacios en blanco.
La labor principal de la Iglesia es ____________________________de ________ en cada _______________, NO llenarnos de ____________y de________________ humanos que ___________ la eficacia del poder de Dios.

66) Una de las cosas fundamentales que Jesucristo vino a restaurar fue precisamente la morada de Dios en el alma y en el espíritu del hombre.

a) Verdadero
b) Falso

67) El Rey David penetró en la belleza y el poder de las moradas de Dios pero no pudo establecerlas en su interior.

a) Verdadero
b) Falso

68) Explique qué sucede con aquel que edifica su morada espiritual en Dios.

____

____

____

____

____

____

69) La "voluntad del hombre", es su herramienta más ponderosa para entrar al Reino de Dios y su herencia, pero ésta puede ser poseída por satanás.

a) Verdadero
b) Falso

70) Según la página 65, complete las líneas en blanco con las palabras claves.
Tú tienes la________________, el___________para tomar____________________ _________________ de cambio. Algunas requerirán pelear, pero ____ y solo ____, decides si peleas con _______ para _________ o te rindes al ___________ para ___________. ¡LA DECISION ES TUYA!

71) Marca con una cruz las respuestas correctas:

Dios nos está llamando...
1)___A ser agresivos contra todo lo que nos está impidiendo entrar a las maravillosas dimensiones de Su morada.
2)___A que comprendamos que tenemos libre albedrío pero el diablo puede tomar nuestra voluntad en nuestros momentos de debilidades.
3)___A que al recibir a Cristo en nuestras vidas, sepamos que toda nuestra iniquidad es borrada automáticamente.
4)___A dejar la pasividad y el conformismo que nos conduce a la mediocridad y que no avergüenza a la sabiduría de este mundo.

NOTAS

CAPÍTULO 4
OPERACIÓN Y MANIFESTACIÓN DE LA INIQUIDAD

72) El cuerpo de Iniquidad, está lleno de información y de pactos que se han ido acumulando de generación en generación.

a) Verdadero
b) Falso

73) El plan de Dios es que no todos oigamos su voz, sino sólo los profetas o en quienes se manifiesta el don profético.

a) Verdadero
b) Falso

74) Complete las líneas en blanco con las palabras claves de la página 67.

Jesús dijo: "Mis ovejas ____________________ mi ___________ y me ____________________".

75) Tenemos la facultad de oír el mundo espiritual. Esto lo confirmamos cuando observamos cuanto oímos a diario la voz del diablo al recibir pensamientos tales como temor, ansiedad, desanimo, negativismo, etc....

a) Verdadero
b) Falso

76) La voz de Dios se hace nítida o es estorbada según la presencia o la ausencia de la Iniquidad.

a) Verdadero
b) Falso

77) Complete los espacios en blanco con las palabras claves de Isaías 59:1-2

"He aquí no se ha acortado la mano de Jehová para salvar, ni se ha agravado su oído para oír; pero vuestras ______________________ han hecho _______________ entre vosotros y vuestro________, y vuestros ______________ han hecho ______________ de vosotros su rostro para ____ ______".

78) Explique qué significa un "embotamiento en el oído espiritual".

____

____

____

____

____

____

79) Marca la respuesta correcta

María lleva 5 años maravillosos, sirviendo al Señor en un ministerio de matrimonios. En su ministerio hay 50 líderes y cada líder tiene una iglesia hogar con 30 matrimonios sólidos en el Señor. Pero María lleva 7 años de problemas financieros, sin poder establecerse en esa área de su vida.

Las razones son:

a)____En alguna parte de su pasado o en el de sus antepasados hubo actividades inicuas, injustas en el área económica y ella lo desconoce o lo ha olvidado.

b)____Su ministerio es tan abundantemente bendecido que inevitablemente es atacada por el diablo en una de sus áreas, pues no podemos recibir plenitud en todas nuestras áreas.

80) Por medio de la revelación del Espíritu Santo, a través de sueños o de Su don de Palabra en ciencia, debemos hacer un análisis detallado de nuestras obras y la de nuestros ancestros para desarraigar toda raíz de Iniquidad.

a) Verdadero
b) Falso

81) Es necesario y fundamental que para desarraigar toda raíz de Iniquidad hagamos ésta tarea con la ayuda de un ministro de la Iglesia.

a) Verdadero
b) Falso

82) Explique, ¿cuál es la raíz espiritual de donde proviene cada pecado?

____

____

____

83) Si te tomas el tiempo de llevar un cuaderno y dejar que el Espíritu Santo te guíe apuntando cada pecado que has cometido tú y tus antepasados quedarás totalmente libre y vivirás una vida de paz.

a) Verdadero
b) Falso

84) Explique con sus palabras por qué razón la Iniquidad produce sordera Espiritual.

____
____
____
____
____
____
____

Pero cuando ____ _________________ al Señor ____ _______ se quitara. Porque _________ _________ el Espíritu del Señor, allí hay _______________. Por tanto _______________ _________ mirando a cara ________________________ como en un espejo la Gloria del Señor, somos _________________________ de Gloria en gloria como por el Espíritu del Señor.
2 Corintios 3:16-18

86) Maque con una X las razones por las cuales los ojos espirituales de muchas personas aún no han sido abiertos. Maque con una "doble XX" la razón principal.

a)____Por causa de los velos de iniquidad que no han sido removidos, ni del entendimiento ni de los sentidos espirituales.
b)____Porque solamente pueden ver las riquezas de la Gloria de Dios aquellos que tiene un llamado especial en sus vidas.
c)____Porque, algunos, al ser gente madura en el Señor, simplemente no han desarrollado el ejercicio de su visión espiritual.
d)____Porque nunca han creído realmente que pueden ver en el mundo espiritual.
e)____Porque no han puesto el énfasis necesario, por estar capacitados en otros dones.

87) Millones de Cristianos, han creído en Jesús como su Salvador, pero en muchas áreas de sus vidas son incrédulos, porque sus corazones todavía están contaminados de Iniquidad, que no ha sido purgada de ellos. Esto ha producido, en ellos, "ceguera espiritual".

a) Verdadero
b) Falso

88) Explique cómo podemos quitar los velos que producen ceguera espiritual en nuestras vidas.

____

____

89) Completa las líneas en blanco, con las palabras claves de la pagina 76.

Jesús dijo: "Todavía un poco y el _________ no me vera mas; _______ vosotros ____ ___________".

90) Por medio de Jesús somos llenos del Espíritu Santo, pero sin la facultad de poder oír y ver lo que el Padre dice y hace.

a) Verdadero
b) Falso

91) Por medio de la Iniquidad, el diablo llena de incredulidad y de culpa a la Iglesia, teniendo como único objetivo que ésta no se mueva en todo el poder que Jesús compró por precio de sangre para ella.

a) Verdadero
b) Falso

92) La Iniquidad tiene su origen en el espíritu del hombre, se desenvuelve en el corazón y termina como una manifestación física que deteriora el cuerpo, llamada "enfermedad y/o dolencia".

a) Verdadero
b) Falso

93) La condición del espíritu y del alma son determinantes para afectar el estado del organismo.

a) Verdadero
b) Falso

94) Complete las líneas en blanco con las palabras claves de la ágina 79.

"Un espíritu, lleno de la presencia de Dios, __________ de __________________, y un corazón ________, ______________ también de ésta, dara como resultado un __________ ________, con salud de __________".

95) Escriba el Salmo 109:18, que hace referencia del hombre que tiene Iniquidad.

____
____
____
____

96) La Iniquidad forma una especie de líquido altamente tóxico que se acumula en el organismo, se asienta en el interior de los huesos deteriorando los órganos y el estado general de la salud.

a) Verdadero
b) Falso

97) ¿Por qué enfermedades de la sangre tales como diabetes, leucemia, presión alta, baja, lupus, etc., son producto de la Iniquidad?

____
____
____
____

98) La tristeza, que no es de Dios, produce muerte. Esta muerte se tomará de la Iniquidad e inmediatamente penetrará en los huesos.

a) Verdadero
b) Falso

99) Maque con una X las enfermedades en los huesos y articulaciones que son el resultado de una continua impregnación de esta secreción que proviene de la Iniquidad.

a) ___Osteoporosis
b) ___Artritis
c) ___Dolores reumáticos

100) La Iniquidad forma "huevos de áspides" que se convierten en tumores y cánceres que se multiplican.

a) Verdadero
b) Falso

101) La Iniquidad crea, dentro de nosotros, densas telarañas de tinieblas que se van entretejiendo en los músculos trayendo fuertes dolores y decaimientos físicos.

a) Verdadero
b) Falso

102) Complete las líneas en blanco, con las palabras claves de la página 81.

La Iniquidad, como ya hemos visto, se _____________ en el _______________, de ahí pasa al ________ formando estructuras de comportamiento y por ultimo pasa al ___________ enfermándolo y destruyendo sus funciones.

103) Todo hábito destructivo contra el cuerpo humano está relacionado con iniquidad, tales como vicios y desordenes que pueden provenir de nuestros ancestros o de nosotros mismos.

a) Verdadero
b) Falso

104) No hay autoridad ni poder en nosotros para ayudar a nuestros hijos a ser libres de la Iniquidad.

a) Verdadero
b) Falso

105) El consumo de fármacos es otro ejemplo de la iniquidad contra el cuerpo.

a) Verdadero
b) Falso

106) Complete las líneas en blanco, usando las palabras claves de la página 82.

La palabra *"Pharmakeia"* es usada por la Biblia para describir la _________________, pero además de la brujería se utiliza para _________________________, ______________________ (nicotina), ____________________, y consume de fármacos.

107) Escriba el significado de *"Pharmakeia"*

____

____

108) Jesucristo llevó nuestras enfermedades en la cruz de la misma manera que llevó el pecado y la iniquidad, por lo tanto el verdadero Cristiano debe caminar hacia la liberación de la dependencia de los medicamentos.

a) Verdadero
b) Falso

109) El comer demasiado no se considera como pecado, simplemente son placeres y afanes de la vida.

a) Verdadero
b) Falso

110) El comer demasiado es considerado Iniquidad y proviene de una raíz de autodestrucción.

a) Verdadero
b) Falso

111) La Iniquidad dentro del ser humano, lo conduce a la cautividad del alma.

a) Verdadero
b) Falso

112) La Iniquidad de una persona no afecta a otras.

a) Verdadero
b) Falso

113) Una persona justa puede ser atrapada por la Iniquidad colectiva.

a) Verdadero
b) Falso

114) Explique cómo una persona puede ser afectada por la iniquidad de otra.

____
____
____
____
____
____

115) ¿Qué debemos hacer con una persona cuya alma ha quedado cautiva en el pasado, por causa de la iniquidad?

____

____

____

____

116) Mencione en qué Salmo de la Biblia el Rey David ha sido acosado por males, Iniquidad ha sido echada sobre él, y su alma ha entrado en cautiverio.

____

____

____

____

117) Explique cuáles son las causas que llevan el alma a cautiverio.

____

____

____

____

____

____

____

118) Estas prisiones de oscuridad son sólo producidas por personas que nos arrojan Iniquidad, odio y todo tipo de maldiciones.

a) Verdadero
b) Falso

119) las almas que no dan Gloria a Dios, son atrapadas en cautiverios.

a) Verdadero
b) Falso

120) Explique cómo se saca un alma de estos pozos de cautiverio.

____

____

____

____

____

121) Explique qué sucede cuando el Señor nos da autorización y revelación para sacar un alma de cautiverio.

___

___

___

___

___

122) Los torrentes de perversidad son lodos cenagosos, reales en el mundo espiritual, y crean fosos, de los cuales solo se puede salir con prolongados ayunos.

a) Verdadero
b) Falso

123) Los torrentes de perversidad son enviados por el diablo para arrasar con una persona o hundirla en una circunstancia, o cuando le envía calumnias a una persona para destruirla.

a) Verdadero
b) Falso

124) Los torrentes de perversidad son Iniquidades de otros que afectan sólo a los justos, oprimiéndolos y agobiándolos hasta literalmente hacerlos sentir que se ahogan.

a) Verdadero
b) Falso

125) Explique con sus palabras cómo salimos de estos torrentes de perversidad

___

___

___

___

___

126) Escriba Isaías 59:20-22

___

___

___

___

___

___

127) La caída de satanás está íntimamente ligada al comercio y a la riqueza.

a) Verdadero
b) Falso

128) Hay una parte del comercio y las riquezas que es justa y necesaria para los pueblos de la tierra.

a) Verdadero
b) Falso

129) Complete las líneas en blanco, según las palabras claves en la página 95.

El comercio y las riquezas llegan a tener tal ________________ que se transforman en la ___ ______________________________ por la que penetra la ______________________________.

130) El poder de la prosperidad en abundancia material, nos pone en el lugar correcto a la par con Dios.

a) Verdadero
b) Falso

131) Desde el comienzo de los tiempos el hombre ha buscado más el dinero que a Dios.

a) Verdadero
b) Falso

132) El comercio ha sido impregnado con iniquidad en todas las formas posibles, y en mayor o menor grado esto es una constante en la línea generacional de casi todos los hombres.

a) Verdadero
b) Falso

133) El oro ha sido buscado para ser ofrecido a Dios como ofrenda y adoración.

a) Verdadero
b) Falso

134) Completa las líneas en blanco, según las palabras claves en la página 97.

Todo tipo de ________ satánico, brujería y alta magia rodean las riquezas del mundo. Las más ______________________ organizaciones de alto y de bajo crimen se originan del amor y de la búsqueda de la ______________.

135) Para el cuerpo de Cristo ha sido prioritario luchar con sacrificio para obtener algo de este mundo, poner nuestra vida en sacrificio para alcanzar niveles mayores en Dios.

a) Verdadero
b) Falso

136) Escriba qué nos sucede cuando nuestras posesiones, nuestro sueldo, o nuestro negocio son nuestra seguridad y no Dios?

____
____
____
____
____

137) Menciona tres ejemplos, de la enseñanza, que explican el por qué es este un sistema de inmundicia, de fornicación, de robo, de mentira y de falsedad.

____
____
____
____
____

138) En las Iglesias se roba a Dios, en los diezmos y en las ofrendas.

a) Verdadero
b) Falso

139) Explique por qué al refugiarnos en el dinero y las riquezas estamos hacienda un "pacto" con la muerte, y mencione en qué Salmos y en que versos está esto revelado.

____
____
____
____
____

140) Confiar en las riquezas es algo que tan sólo se atribuye a los ricos y poderosos (página 100).

a) Verdadero
b) Falso

141) Completa la línea en blanco con la palabra clave de la página 100.

La Iniquidad financiera atrae en forma poderosa juicio de ______________________________.

142) ¿Cómo podemos hacer para saber si tenemos Iniquidad financiera en nuestra línea generacional?

____
____
____
____
____

143) Explique qué debe hacer si el Señor le revela que en su línea generacional hay Iniquidad financiera.

____
____
____
____
____

144) A partir del día que soy libre de la Iniquidad financiera Dios me devolverá todo lo que el diablo me ha robado y las bendiciones de Jehová permanecerán sobre mi vida.

a) Verdadero
b) Falso

145) Es importante analizar el origen de toda actividad commercial y detectar la posible fuente de iniquidad que tarde o temprano traerá ruina.

a) Verdadero
b) Falso

146) Los negocios ilícitos que como Cristianos hagamos con personas inconversas no nos afectan, pues la palabra en Proverbios 13:22 nos dice que "el dinero de los pecadores pasará a manos de los justos".

a) Verdadero
b) Falso

147) La iniquidad financiera hace que Dios no escuche nuestras oraciones.

a) Verdadero
b) Falso

148) La enseñanza nos habla de dos casos de negociaciones que parecen nobles y comunes pero su origen es inicuo. Escoja el que más le sorprendió y escríbalo.

____
____
____
____
____

149) Complete las líneas en blanco, con las palabras claves de la página 104.

Dios quiere bendecirnos y lo hará en la medida que seamos la _________________ para ayudar y solucionar los __________________________ de nuestro ____________________________.

150) Explique cómo debemos hacer para salir de la Iniquidad de ruina y escasez financiera.

____
____
____
____
____

151) Por medio de nuestra humildad Dios nos moldea y nos usa como Él quiere.

a) Verdadero
b) Falso

152) Una persona obstinada es la que hace de su propia opinión un "ídolo".

a) Verdadero
b) Falso

153) Complete las líneas en blanco con las palabras claves de la página 105.

Porque como pecado de adivinación es la ______________________________, y como ______________________________ e ____ la obstinación.

154) La Iniquidad constituye el fundamento de maldiciones y destrucción de ciudades.

a) Verdadero
b) Falso

155) Marque con una X los elementos que conducen hacia la Iniquidad y asolamientos de las ciudades.

a) ____Consagraciones territoriales a dioses paganos.
b) ____Diseños masónicos.
c) ____Cines y teatros.
d) ____Geometría mágica.
e) ____Horrendos sacrificios y derramamientos de sangre.

156) De la misma manera que individualmente la Iniquidad cava hoyos para atrapar las almas, ciudades enteras son sometidas y hundidas en tinieblas, violencia y corrupción.

a) Verdadero
b) Falso

157) Los pueblos tienen alma y tienen espíritu, por tanto la Iniquidad está arraigada a ellos también.

a) Verdadero
b) Falso

158) Marque con una X las respuestas que indican los momentos cuando hacemos pactos con el diablo.

a) ____Cuando llamamos a lo bueno, malo y a lo malo bueno.
b) ____Cuando aceptamos como parte del la cultura ritos abominables a dioses paganos.

c) ____ Cuando presenciamos el atardecer a las 5:30 PM.
d) ____Cuando compramos adornos para nuestras casas, o para regalar, con formas de figuras de civilizaciones ancestrales cargadas de demonios.

159) Escriba, con sus palabras, como podemos ser libres de la Iniquidad Cultural.

____
____
____
____
____

160) Complete las líneas en blanco, con las palabras claves de la página 110.

Las religiones están cargadas de ______________________________, porque son una obra de la ____________________. Todo sistema religioso es en esencia ________________________ y se opone al único ___________________________.

161) Para ser libres de la Iniquidad religiosa basta con sólo dejar atrás las prácticas.

a) Verdadero
b) Falso

162) La persona que tiene iniquidad religiosa ha sido pactada a dioses paganos disfrazados de vírgenes y de santos, bebiendo así de la copa de sus abominaciones.

a) Verdadero
b) Falso

163) El agravio es la injusticia hecha a una persona en la cual ésta es deshonrada o despojada.

a) Verdadero
b) Falso

164) Una de las maneras en que se manifiesta la Iniquidad es a través de la lengua.

a) Verdadero
b) Falso

165) Marca con una X las características que identifican a una persona cargada de Iniquidad
a)____No cuidan su forma de hablar
b)____Maldicen a diestra y a siniestra
c)____Se visten con colores oscuros.
d)____Causan divisiones y ofenden fuertemente
e)____Son gente negativa, con gran ira y amargura interior

166) La gente que ha sido abusada, continuamente estarán atrayendo agravio y deshonra sobre sus vidas. Son victimas de toda injusticia, como una marca indeleble que las persigue.

a) Verdadero
b) Falso

167) Escriba qué sucede con la iniquidad en un caso de incesto.

____
____
____
____
____

168) Complete las líneas en blanco, con las palabras claves de la página 115.

Para salir de este ciclo de injusticia y agravio es necesario buscar primeramente en nuestros ________________ donde hemos sido ______________ con otros. Después de esto pedir __________________ si se desconoce el caso donde se origina este pecado y ésta iniquidad y pedir ___________ a Dios por la iniquidad de ______________ ___________________.

169) Para terminar con esta Iniquidad en nosotros es suficiente con arrepentirnos ante Dios.

a) Verdadero
b) Falso

170) Es necesario, para terminar con esta Iniquidad, no sólo pedir perdón sino también retribuir el agravio restituyendo el mal que causamos.

a) Verdadero
b) Falso

171) Una de las obras de Iniquidad que Dios más aborrece es la adoración de ídolos. El inclinarse y servir dioses ajenos. En América Latina y Europa, éstos, son Dioses individuales, invisibles, tales como el dinero, la comida y la cultura.

a) Verdadero
b) Falso

172) En América del Norte, los ídolos están representados por imágenes talladas.

a) Verdadero
b) Falso

173) Complete las líneas en blanco, con las palabras claves de la página 116.

La ________________ es el principio de una __________ de ________________________
y ______________, dirigida por el ______________ de ____________________________.

174) Hoy por hoy, proliferan los pecados de adulterio, pornografía y fornicación aún entre Cristianos. El pueblo de Dios ha perdido temor a Él.

a) Verdadero
b) Falso

175) El espíritu de fornicación le impide al creyente conocer plenamente a Dios.

a) Verdadero
b) Falso

176) Complete las líneas en blanco, con las palabras claves de la página 117, según Oseas 4 y 5.

"Fornicacion, vino y mosto __________ el __________. Mi pueblo a su ídolo de madera pregunta, y el león le responde; porque espíritu de ____________________ lo hizo errar, y dejaron a su Dios para ______________...., por tanto el pueblo sin entendimiento ______________" "No piensan en convertirse a su Dios, porque espíritu de ____________________ está en medio de ellos, y no conocen a ____________________".

177) Es importante desarraigar la Iniquidad a fondo y con precisión, pues donde ha habido idolatría, se desata espíritu de fornicación.

a) Verdadero
b) Falso

178) La fornicación está relacionada únicamente con asuntos físicos.

a) Verdadero
b) Falso

179) La Iniquidad y el espíritu de fornicación, producen que una persona sea continuamente perseguida por sueños y pensamientos terriblemente obscenos.

a) Verdadero
b) Falso

180) Explique cómo podemos ser libres de la iniquidad de fornicacion.

____

____

____

____

____

181) Una vez hecho el trabajo de liberación, es importante declarar libertad sobre nuestros descendientes.

a) Verdadero
b) Falso

182) Tanto las bendiciones como las maldiciones, son como un pájaro que está en vuelo procurando donde posarse para hacer su nido y así establecer sus propósitos.

a) Verdadero
b) Falso

183) Explique, con sus palabras, por qué existen muchos casos de personas que habiendo estudiado sobre las maldiciones, las revocaron y las cancelaron de sus vidas, pero al tiempo éstas regresan sobre ellas.

____

____

____

____

____

184) Complete las líneas en blanco, con las palabras claves de la página 121.

Tanto el _____________ como la _________________ y la _______________, requieren de un escudriño _________________, de una observación y análisis __________________ de nuestro corazón.

185) Cuando nos sometemos con un corazón quebrantado y arrepentido a una limpieza de la raíz de los pecados, comenzamos un proceso de santificación.

Si bien en la sincera oración de una genuina conversión, no llegamos a confesar todos nuestros pecados, el Espíritu Santo comenzará a remodelar nuestra conciencia mostrándonos y dándonos entendimiento de pecados que ni siquiera considerábamos como tales.

a) Verdadero
b) Falso

186) Es necesario identificar por medio de la oración la raíz de Iniquidad que produjo maldiciones a nuestras vidas.

a) Verdadero
b) Falso

187) Complete las líneas en blanco, con las palabras claves, según la definición de maldición de la página 122.

Una maldición es el _______________________________________dado por _____________ sobre una _________________________ y su ____________________________ como resultado de su ____.

188) Explique resumidamente cómo podemos identificar las maldiciones?

____

____

____

____

____

189) Enumere el orden en el que debemos movernos para cancelar y revocar una maldición de nuestras vidas.

___Identificar las causas de las maldiciones
___Proclamar la victoria de Jesús en la cruz sobre nuestras vidas, donde Él se hizo maldición para liberarnos (Gálatas 3:13 y 14)
___Arrepentirse de la Iniquidad por la cual estas maldiciones son recurrentes
___Revocar y cancelar las maldiciones, rompiendo su poder sobre su vida.

190) Trabajo práctico:

El siguiente es un supuesto caso de una mujer que ya ha reconocido y purgado la Iniquidad según lo que hasta hoy ha podido identificar o le ha sido revelado. Ahora nos enfrentamos a cancelar las maldiciones que están operando aún sobre ella.
Al leer la historia:
a) Identifique y escriba cuáles son las causas de las maldiciones de este caso.
b) Identifique y escriba los problemas que estas causas han traído a la vida de ésta mujer.
c) Escoja una de las maldiciones y escriba, detalladamente, el proceso de cancelación y revocación de la misma, rompiendo así el poder maligno sobre esta vida (Páginas 122-125).
Laura es una mujer cristiana, ella y su familia sirven al Señor hace 5 años.
--Sus padres, ambos cristianos, están divorciados hace 20 años.
El matrimonio de Laura sufre severas discusiones, y están a punto de un divorcio aunque lo tratan de evitar por amor al Señor.
Laura fue abusada y violada a sus 16 años de edad.
Los abuelos de Laura, adoran imágenes. Su abuela consulta brujería, santería y su boca maldice continuamente.
Hace 8 años, Laura y su esposo estaban fuertemente involucrados en pornografía.
Por medio de un sueño, Laura recibió una revelación en donde veía a su madre entrando a una clínica a practicarse un aborto, lo cual Laura pudo corroborar pues su padre se lo confirmó.

____

____

____

____

191) Escriba la respuesta en la línea:
a)¿Cuál es la fuerza espiritual que alinea todas las cosas con el reino de Dios?

b) ¿Cuál es la fuerza espiritual opuesta que tuerce todo, alejando los diseños de Dios?

NOTAS

CAPÍTULO 5
EL PODER DE ATRACCIÓN DE LAS FUERZAS ESPIRITUALES

192) La justicia atrae todo lo perteneciente al reino de los cielos y todas las bendiciones de lo alto, jalando hacia nosotros las riquezas espirituales y materiales para nuestras vidas.

a) Verdadero
b) Falso

193) Escriba qué es necesario que ocurra para que la gloria ejerza su poder de atracción de todas las bendiciones y atributos del reino de los cielos sobre nosotros.

____
____
____
____

194) La unción es lo que nos sumerge en todo lo que Dios es, es el fuego consumidor de Dios, la unción quema y destruye lo que nos aparta del Señor.

a) Verdadero
b) Falso

195) La gloria de Dios es la habilidad de llenarnos de gozo y de amor.

a) Verdadero
b) Falso

196) Podemos entrar en las dimensiones de la gloria del Señor sin antes haber desarraigado e identificado en nosotros la Iniquidad.

a) Verdadero
b) Falso

197) Sin la gloria del Señor y Su justicia, jamás poseeremos la herencia de bendiciones, poder y todo tipo de añadiduras maravillosas que se encuentran en su reino.

a) Verdadero
b) Falso

198) La justicia y la gloria de Dios sobre nuestras vidas, traen juicio sobre nuestros enemigos.

a) Verdadero
b) Falso

199) Completa las líneas en blanco con las palabras claves de la página 131

Donde quiera que haya iniquidad, encontramos una __________________ presencia de los __________________________________ de ____.

200) La Iniquidad es el blanco de bombardeo del diablo y el blanco e los juicios de Dios, sobre una persona.

a) Verdadero
b) Falso

201) Explique qué son los juicios de misericordia.

____
____
____
____
____

202) Las bendiciones, la honra y las riquezas vienen a nosotros tras ser bautizados.

a) Verdadero
b) Falso

203) Las victorias nuestras dependen de que la justicia de Dios se establezca sobre nosotros.

a) Verdadero
b) Falso

204) Escriba en qué libro, capítulo y versículo, Jesús nos muestra claramente que Él quiere hacer una obra perfecta en nosotros y para ello es necesario lavarnos y pulirnos (página 135).

____

____

____

____

205) Complete las líneas en blanco, con las palabras claves de la pagina 135.

Es ____________________ ser bendecidos y ______________________ de Su ___________ sin que el Señor trate nuestra ____.

NOTAS

____

____

____

____

____

____

____

____

____

____

____

____

____

____

____

____

____

____

____

____

____

____

____

____

CAPÍTULO 6
LA JUSTIFICACIÓN VERÍDICA NOS LIBRA DE LA INIQUIDAD

206) Una de las cosas más importantes que Dios está restaurando, en estos tiempos, es la predicación del Evangelio verdadero de Jesucristo, en todo su poder y su gloria.

a) Verdadero
b) Falso

207) Complete las líneas en blanco, con las palabras claves de la página 139.

La justificación por medio de la fe, se produce cuando yo ______________ con todo mi ______________ que Jesús ha tomado mis pecados en su cruz y __________ mi ____________________ en esa cruz para ________________ por ______________; cuando tomo la ______________ de _________ _________ ___ _________ _____________ ___ __________, porque estoy ____________________ ____________________ y AVERGONZADO de que _________________ _________ hayan llevado a _____________ a un sacrificio terriblemente _________ _____________ y _________________________.

208) Es común entre algunos creer que somos justificados por la gracia y que entraremos al reino de los cielos hagamos lo que hagamos.

a) Verdadero
b) Falso

209) Es un requisito irremplazable entrar al reino de los cielos por medio de la cruz.

a) Verdadero
b) Falso

210) Explique, brevemente, con sus propias palabras, que significa "Invocar el nombre de Jesucristo".

____
____
____
____

211) Debemos dejar atrás la práctica del pecado, haciendo que nuestra alma, ARREPENTIDA, entregue su vida, con el firme propósito de empezar una nueva vida.

a) Verdadero
b) Falso

212) Según 2 Timoteo 2:19, podemos invocar el nombre del Señor aún conviviendo con la Iniquidad?

____

213) Somos sellados inmediatamente por el Espíritu de la promesa al invocar el nombre del Señor, por medio de repetir una oración para aceptar a Cristo en nuestras vidas, aún si no nos hemos arrepentido.

a) Verdadero
b) Falso

214) La mente es la única que tiene la fuerza interna para determinar el cambio de dirección en nuestra vida. El corazón reflexiona y acepta, pero carece del poder para romper estructuras de comportamiento.

a) Verdadero
b) Falso

215) Cuando Jesús se manifiesta en el corazón de un CREYENTE VERDADERO, que ha invocado su nombre, Cristo se levantará con poder para deshacer toda Iniquidad y las obras que el diablo ha edificado en él.

a) Verdadero
b) Falso

216) Cuando Cristo se manifiesta en el corazón de un creyente verdadero la iniquidad es purgada inmediatamente, quedando el creyente libre de ésta.

a) Verdadero
b) Falso

217) Las personas que quieren caminar conforme a los deseos de este mundo nunca han sido trasladados del reino de las tinieblas a la luz.

a) Verdadero
b) Falso

218) En muchos casos se les llama *"hijos de Dios, nacidos de nuevo"* a fornicarios y adúlteros, a homosexuales, a tramposos, a ladrones, a gente llena de orgullo, de pornografía, de abusos y de fraudes.

a) Verdadero
b) Falso

219) En muchos casos hoy le llamamos bautizados del Espíritu, a gente llenad e lascivia, de engaño, a gente llena de hechicería y de idolatra. Gente que no se toca el corazón para calumniar, para difamar y para destruir el precioso Cuerpo de Cristo.

a) Verdadero
b) Falso

220) Escriba 1 Corintios 6:9-10

____
____
____
____
____

221) Completa las líneas en blanco con las palabras claves de la página 148.

La Iglesia primitiva creció en el __________ de __________ y en su ______________. ________________ lo que Jesús hizo por ellos, viviendo una vida que ______________________ a Dios.

222) La justicia de Dios se cumple, en el creyente, cuando dejando la vida carnal de pecado, vive ahora por el Espíritu.

a) Verdadero
b) Falso

223) Explique, brevemente, como podemos identificar que el Espíritu de Dios está dentro de un hombre.

____

____

____

____

____

224) Complete las líneas en blanco según las palabras claves de la página 150.

"Mas vosotros no vivís según la ____________, sino según el Espíritu, si es que el Espíritu de Dios _________ en vosotros. Y si alguno no tiene el Espíritu de Dios, ___________ es de Él".

225) Marque con una X las respuestas correctas

Ser guiados por Dios significa:
a) ____ Oír su voz, en nuestra conciencia
b) ____ Oír su voz en Su Palabra
c) ____ Oír su voz en nuestros sueños o en la palabra profética que El nos pueda hablar.
d)____ Tener como ancla segura el "Temor de Dios"

226) La salvación radica en la respuesta del hombre, al sacrificio de Cristo, entregando verdaderamente la vida, para ser transformados por su poder.

a) Verdadero
b) Falso

227) La salvación es consumada en nosotros cuando ponemos nuestras vidas en forma genuina en la cruz.

a) Verdadero
b) Falso

228) Para la salvación, los tiempos y el corazón de cada hombre son diferentes, por lo que no podemos hacer una formula automática para todos.

a) Verdadero
b) Falso

229) En Gálatas 5:24 vemos que la palabra nos muestra que los que son de Cristo van crucificando su carne poco a poco, según Dios va tratando con ellos.

a) Verdadero
b) Falso

230) La Biblia hace una sustancial diferencia entre ser "un pecador" y ser "un cristiano inmaduro".

a) Verdadero
b) Falso

231) Todo pecado ensucia el alma y el espíritu, pero existen "pecados de muerte" y "pecados de inmadurez".

a) Verdadero
b) Falso

232) Menciona en que libro, capítulo y versículos Dios nos deja ver claramente que existe "pecado de muerte" y "pecado de inmadurez" (página 154).

____

____

233) Explique qué significa "vivir conforme al Espíritu"?

____

____

____

____

____

234) Jesús jamás comprometió sus principios para ganar almas y tener más seguidores.

a) Verdadero
b) Falso

235) Menciona un libro de la Biblia, capítulo y versículo (s) donde observes que Jesús no acomodaba el evangelio para seducir un alma y hacer un prosélito (página 157).

____

____

236) Según la página 158, cual es la misión de Jesucristo? ¿Cómo lleva a cabo ésta misión?

____

____

____

____

____

237) Lo único que puede reconciliar al hombre con Dios, es que Cristo resucite su espíritu.

a) Verdadero
b) Falso

238) Ser una nueva creación es ser aceptados como miembros de una iglesia, es un cambio de religión o de denominación, es cambiar hábitos de conducta y de moral, es dejar los amigos del mundo, es tomar todo curso de educación cristiana.

a) Verdadero
b) Falso

239) Complete las líneas en blanco, con las palabras claves de la pagina 160

La nueva creación es la ____________________ de ______________ No es lo que hagamos ______________ sino en lo que nos ___________________. La nueva creación ______ es la adopción de una filosofía sino _____ __________ en la ____________ de ______________ ser.

240) La nueva creación es la estructura espiritual conformada por la naturaleza divina.

a) Verdadero
b) Falso

241) El espíritu del hombre natural está muerto por causa del pecado.

a) Verdadero
b) Falso

242) El alma fue creada para ser un instrumento de interpretación entre el mundo espiritual y el mundo natural.

a) Verdadero
b) Falso

243) El alma es la parte más poderosa del hombre.

a) Verdadero
b) Falso

244) La parte eterna del hombre es su alma.

a) Verdadero
b) Falso

245) El cuerpo fue creado para ser el medio de interpretación entre el mundo natural y el espiritual, siendo el alma el gobernante natural de nuestro ser.

a) Verdadero
b) Falso

246) Es en el espíritu donde se produce el puente entre Dios y el hombre.

a) Verdadero
b) Falso

247) El alma no tiene vida por sí sola ésta sigue al espíritu del hombre en su destino final.

a) Verdero
b) Falso

248) El hombre fue creado para ser espíritu gobernante.

a) Verdadero
b) Falso

249) La salvación y el nuevo nacimiento se llevan a cabo a través de una mecánica intelectual que pasa por el corazón.

a) Verdadero
b) Falso

250) Para que haya salvación y un nuevo nacimiento el espíritu tiene que ser engendrado por el Espíritu de Dios.

a) Verdadero
b) Falso

251) Dios siembra su preciosa semilla de vida en nosotros, cuando con un corazón sincero y arrepentido le entregamos nuestro ser a Dios y somos bautizados.

a) Verdadero
b) Falso

252) Completa las líneas en blanco con las palabras claves de la página 165.

Es en el _______________ donde se lleva a cabo la ____________ del _____________ de _______ y del ___________________, para que sea engendrada una _______________ ___________________ __________________ que ira creciendo a semejanza de Dios.

253) Cuando somos una nueva criatura, todo el poder con que Jesucristo fue levantado de los muertos será lo que more en nuestro espíritu.

a) Verdadero
b) Falso

254) Complete las líneas en blanco, con las palabras claves de la pagina 167.

La nueva creación es real, afecta todo ___________ _____, invade nuestra _________ y destruye el _____________ de _______________. Es luz visible y poder de Dios. Es evangelizadora por ______________, está llena de ____________ y de _____________, porque es ______ mismo ____ al ___________________________.

255) Según la pagina 168, escriba qué sucede con el creyente cuando es engendrado en su espíritu con la vida misma de Dios.

____
____
____
____
____

256) La resurrección es el poder que le da vida a esa nueva creación que ha sido engendrada en nuestro interior.

a) Verdadero
b) Falso

257) Según la página 169, explique por qué el espíritu de millones de personas en la iglesia, aún duerme.

____
____
____
____

258) Explique, con sus palabras, qué es la Iniquidad

____
____
____
____

259) Desarraigar la Iniquidad toma tiempo y dedicación.

a) Verdadero
b) Falso

260) Escriba los números en orden del 1 al 9, según los pasos a seguir para comenzar el proceso de liberación de Iniquidad.

____Cancelamos las maldiciones que se hayan adherido a la iniquidad en su vida.
____Confesamos nuestra iniquidad y la de nuestros antepasados.
____Ordenamos que la sustancia física que produjo la iniquidad y que se alojó en nuestros huesos y órganos, "salga".
____Hacemos una oración que traiga a nosotros un verdadero espíritu de arrepentimiento, para poder ver nuestras Iniquidades.
____Consagramos el momento de nuestra concepción.
____Tomamos un cuaderno, y comenzamos a anotar, detallada y minuciosamente, todo lo que el Señor nos muestre o recuerde, lo cual lo más factible, es que no será todo en un día.
____Pedirle al Espíritu Santo que nos ayude en este proceso de liberación.
____Con los pecados en el cuaderno, oraremos uno a uno sobre todos ellos, con una profunda convicción de pecado.
____Ordenamos sea desarraigada toda la iniquidad de nuestro espíritu y de nuestra alama.

261) La Iniquidad deberá salir de nuestro cuerpo como liquido, a través de diarreas, vómitos, abundancia de orina, flemas y mucosidad a manera de resfriado.

a) Verdadero
b) Falso

262) Es conveniente, al ordenar la salida de la sustancia que provoca la iniquidad, tocarse uno mismo todas las coyunturas y poner nuestras manos sobre nuestras diferentes partes del cuerpo.

a) Verdadero
b) Falso

263) Es indispensable, que una persona que este llena del Espíritu Santo ponga sus manos en cada unión de vértebras en su espalda, mientras ordena la salida de la iniquidad.

a) Verdadero
b) Falso

264) Todos estos pasos, de liberación de Iniquidad, son un requisito para nuestra salvación.

a) Verdadero
b) Falso

265) Complete el crucigrama, según la lista de pecados que se encuentran en las páginas 175 a la 180.

I __ __ __ __ __ __ __ __ __ __ __
__ __ __ __ __ __ __ __ __ N
__ I __ __ __
__ __ __ Q __ __ __ __ __
U __ __ __ __
__ __ __ __ __ __ __ __ __ __ I __ __ __
__ __ D __ __ __ __ __
__ __ __ __ __ __ A
D __ __ __ __ __ __ __ __ __ __ __ __

NOTAS FINALES

RESPUESTAS

RESPUESTAS CAPÍTULO 1

1. a)
2. c)
3. a)
c)
d)
f)
4. a)
5. b)
6. a)
7. b)
8. a)
9. a)
10. a)
11. a)
12. c)
13. a)
14. c)
15. a)
16. b)

17.
Dios no trata el mal en forma genérica. El es altamente_______________ (específico) y también es así como nosotros tenemos que responder en contra de _______ ___ _________ ____ ______ ________________. (Todo el reino de las tinieblas)
Dios quiere que el diablo ____ _________ ____ ____ _________ _______ con que atacarnos. (No tenga ni la menor cosa con qué atacarnos)

18. a)
19. a)

20.
a)Iniquidad Voluntaria Raíz de los pecados cometidos y que
todavía nos tientan (b)
b) Iniquidad Conciente Con todo conocimiento de causa y deseo de hacerlo.
(a)
c) Iniquidad Inconciente No es fácil de detectarla, puede ser la causa de
problemas, enfermedades y otros males. (c)

21. a)
22. a)
23. a)

24.
La Intuición
La Mente del Espíritu
La comunión
El Asiento de Poder
La Conciencia
Poder
Los Sentidos del Espíritu
La Herencia

COMENTARIOS CAPÍTULO 1

RESPUESTAS CAPÍTULO 2

26.
Una es la simiente demoníaca y caída y la otra es la divina la cual es Jesús.

27. b)
28. a)
29. a)
    c)
    d)
    e)
30. a)
31. a)
32. a)

33.
Tiene que ver con desarrollar cada área de nuestro Ser Espiritual. Es un caminar sobrenatural y guiado totalmente por el Espíritu de Dios, es la manifestación visible de Cristo en nosotros y la total destrucción del cuerpo de pecado que ya sabemos se llama iniquidad.
34.
No es la voluntad del hombre la que destruye las obras de la carne sino ___________. (El Espíritu de Dios)

La simiente de Dios trae muerte a la simiente diabólica en la carne. Esto solo se logra___ entendiendo la vida del Espíritu _____ y pasando tiempo en_____ intimidad ______con Dios.

35.
Trayendo terribles espíritus de religiosidad, subyugando la carne, doblegándola, tratando con hábitos externos, dándole apariencia de piedad.

36.
Orar en la carne, oraciones mentales, peticiones llenas de llanto pero que carecen de fe, leer la Biblia en la carne no consiguiendo revelación sino ataduras a la letra, adorar y cantar tan sólo con la boca y sin ningún objetivo de alcanzarlo a El.

37. a)
38. a)

39.La ley del Espíritu de vida gobernada por Cristo a través de una vida espiritual; y la ley del pecado y de la muerte dirigida por el diablo por medio de la iniquidad.

40. a)
41. 1)
42. b)

43.
"Porque los que son de la carne, piensan en las cosas de la carne; pero los que son del Espíritu en las cosas del Espíritu. Porque el ocuparse de la carne es muerte; pero el ocuparse del Espíritu es vida y es paz. Por cuanto los designios de la carne son enemistad contra Dios;....

44. a)
45. a)

COMENTARIOS CAPÍTULO 2

RESPUESTAS CAPÍTULO 3

46. a)

47.
5) La inteligencia
6) El consejo
7) El Poder de Dios
8) El Temor de Dios

48.
"El libre albedrío", o "Voluntad "

49. a)
50. b)

51.
Son los pensamientos inferiores, carnales, soberbios, pecaminosos, limitados y temerosos. Estos provienen del diablo.

52.
Salmo 84:10

53. a)
54. a)
55. a)

56.
Las moradas de iniquidad son moradas ________ Espirituales, _____ mentales ____o emocionales ______desde las cuales __funcionamos _________ y desde donde _tomamos toda decisión ____________que _______________________No _______________________ proviene de Dios.

57. a)
58. a)
59. b)

60.
Por el poder de Dios
Por nuestra determinación para derribarlas y por fe

Cambiando la mentira por la verdad ilimitada de Dios.
Empezando a creer en forma diferente con respecto a nosotros mismos.
Sometiendo nuestra voluntad a la de Dios.
Viéndonos en toda la grandeza y poder con las que Dios nos ve, y actuar de ésta manera, no dando lugar a ninguna duda.
Reconociendo que éstas moradas de iniquidad existen en nosotros y que están controlando nuestras vidas.

61.
Moradas culturales
Moradas de adicción
Moradas de aflicción
Moradas de complacencia
Moradas de enfermedad
Moradas de escasez y pobreza
Moradas de estrés
Moradas de hábitos destructivos
Moradas de incredulidad
Moradas de lujuria
Moradas de negligencia
Moradas de orgullo y egocentrismo
Moradas de rechazo
Moradas de temor
Moradas religiosas, y babilónicas

62.
Este siervo vivirá continuamente limitado en sus finanzas. Por más que siembre y siembre en el Reino de Dios no prosperara jamás. Su alma está rodeada de estructuras que atraen pobreza alrededor de el.

64. a)

65.
La labor principal de la Iglesia es __ Edificar la morada __de _ Dios _______ en cada creyente ___, NO llenarnos de Biblia ___ y de __ fundamentos ____humanos que niegan ___la eficacia del poder de Dios.

66. a)
67. a)

68.
Vivirá en paz, en seguridad, en salud, en la tranquilidad de que ninguna tragedia repentina vendrá sobre el, será prospero todos los días de su vida, porque su alma prospero de lo terrenal a lo celestial, no tendrá que pedir prestado sino que será el mayor dador del mundo.

69. b)
70.

Tú tienes la ______________, el _________ para tomar ____________________ ________________ de cambio. Algunas requerirán pelear, pero ____ y solo ____, decides si peleas con _______ para _________ o te rindes al ___________ para ___________. LA DECISION ES TUYA! (voluntad, poder, decisiones radicales, tu, tu, Dios, ganar, diablo, perder) (página 65).

71. 1)
4)

COMENTARIOS CAPÍTULO 3

RESPUESTAS CAPÍTULO 4

72. a)
73. b)

74.
Jesús dijo: "Mis ovejas ________ mi ______ y me ____________" (oyen, voz, siguen).

75. a)
76. a)

77.
"He aquí no se ha acortado la mano de Jehová para salvar, ni se ha agravado su oído para oír; pero vuestras ______________________ han hecho ________________ entre vosotros y vuestro________, y vuestros ______________ han hecho ______________ de vosotros su rostro para ____ ______". (Iniquidades, división, Dios, pecados, no oír) (página 70).

78.
Es cuando hay áreas donde una persona ha sido tremendamente tratada por Dios y en esa dirección oye con claridad. Pero "hay un embotamiento" cuando en otras áreas hay un conflicto y la persona no sabe como resolverlo.

79. a)
80. a)
81. b)

82.
Cada pecado proviene de una raíz de iniquidad y ha quedado gravado en ella.
83. a)

84.
Porque nuestras iniquidades han hecho divisiones entre nosotros y Dios, provocando así que no podamos oír la vos de Dios, en las áreas de nuestra vida que están contaminadas por Iniquidades, aquí es donde se produce un "embotamiento en el oído Espiritual" y no podemos oír Su vos.

85.
Pero cuando ____ __________________ al Señor ____ ________ se quitara. Porque __________ __________ el Espíritu del Señor, allí hay ________________. Por tanto ________________ __________ mirando a cara ___________________________ como en un espejo la Gloria del

Señor, somos _________________________ de Gloria en gloria como por el Espíritu del Señor. (se/ conviertan/ el/ velo/donde/ está/ libertad/ NOSOTROS/ TODOS/ descubierta/ transformados)

86. a) XX
    c)X
    d)X
    e)X

87. a)

88.
Debemos identificar las áreas de nuestro Corazón que aún no están rendidas al Señorío de Cristo. Debemos pasar tiempo con el Señor, sólo en la presencia manifestada del Espíritu Santo los corazones pueden ser transformados y así los velos serán removidos.

89.
Jesús dijo: "Todavía un poco y el _____________ no me vera más; ______________ vosotros ____". (Mundo, pero, me, veréis).

90. b)
91. a)
92.a)
93. a)

94.
"Un espíritu, lleno de la presencia de Dios, _________ de _________________, y un corazón ________, ______________ también de ésta, dará como resultado un __________ ________, con salud de _________". (libre, Iniquidad, puro, purgado, cuerpo, sano, Reino).

95.
"Se vistió de maldición como de su vestido y entró como agua en sus entrañas y como aceite en sus huesos".

96. a)

97.
Porque la iniquidad afecta la calidad de la sangre. Según la Biblia, en la sangre se encuentra la vida, y es en la médula ósea donde se produce la sangre.

98. a)
99. a)
    b)
    c)
100. a)
101. a)

102.
La iniquidad, como ya hemos visto, se ____________ en el ______________, de ahí pasa al _______ formando estructuras de comportamiento y por ultimo pasa al __________ enfermándolo y destruyendo sus funciones. (origina, espíritu, alma, cuerpo)

103. a)
104. b)
105. a)

106.
La palabra Pharmakeia es usada por la Biblia para describir la ________________, pero además de la brujería se utiliza para ______________________, ___________________ (nicotina), ___________________, y consume de fármacos. (Hechicería, drogadicción, tabaquismo, alcoholismo).

107. *"Pharmakeia"* es una forma de iniquidad que mina las células del cuerpo e inutiliza el sistema inmunológico.

108. a)
109. b)
110. a)
111. a)
112. b)
113. a)

114.
La iniquidad de una persona es arrojada a otra como si fuera un lodo, a través de palabras violentas, amenazas, calumnias, palabras perversas, acusaciones injustas y presiones de todo tipo, haciendo que la persona afectada pueda llegar a sentir que literalmente se ahoga.

115.
Debemos llevar a cabo liberación.

116.
Salmo 55:2-5

117.
El alma es llevada cautiva por causas de la iniquidad, pero también por situaciones traumáticas, o por fuertes acosos de gente impía, que la fragmentan y la atrapan.

118. b)
119. a)

120.
La forma de sacar un alma de estos pozos de cautiverio, es recordando primeramente que TODO tiene que ser guiado por el Espíritu Santo. Hay que pedirle a Dios que nos permita liberar el alma de estos lugares y que nos muestre por Su Espíritu, qué fue lo que ocasionó éste cautiverio.

121.
El Señor mostrará por medio de los dones del Espíritu cómo se generó ésta situación. Entonces habrá que pedir perdón en el caso de pecado, de iniquidad o de rebelión. Perdonar a los que nos hayan dañado y por último ordenar al alma cautiva que "SALGA A LIBERTAD" y a los que están en regiones de tinieblas que "SE MUESTREN" y que "SALGAN DE LAS TINIEBLAS A LA LUZ ADMIRABLE" .
Si estamos con la persona frente a nosotros, la tomamos de las manos y hacemos un movimiento como si literalmente la estuviéramos sacando de un hoyo.
Le pedimos a Dios que tome esa alma que estaba atrapada en tinieblas y que la siente en lugares celestiales para ahora ser apacentada por su Santo Espíritu.

122. b)
123. a)
124. b)

125.
Desde nuestra posición en y con el Espíritu Santo, creyendo, dejamos que Dios despierte Su Palabra en nuestras bocas. Dejando así que Dios nos unja para que por medio de Su Palabra podamos deshacer las obras del Diablo que nos están ahogando. Luego, el Señor deshace estos torrentes y ríos de perversidad y usando nuestra propia voz, ordenamos que se sequen estos pozos desde su origen en las profundidades.

126.
"Y vendrá el Redentora Sión, y a los que se volvieren de la iniquidad en Jacob, dice Jehová. Y este será mi pacto con ellos, dijo Jehová: El Espíritu mío que está sobre ti, y mis palabras que puse en tu boca, no faltarán de tu boca, ni de la boca de tus hijos, ni de la boca de los hijos de tus hijos, dijo Jehová, desde ahora y para siempre".

127. a)
128. a)

129.
El comercio y las riquezas llegan a tener tal _________________ que se transforman en la ___________ por la que penetra la ____________________. (Esplendor, puerta, iniquidad)
130. b)
131. a)
132. a)
133. b)

134.
Todo tipo de _______ satánico, brujería y alta magia rodean las riquezas del mundo. Las más _____________________ organizaciones de alto y de bajo crimen se originan del amor y de la búsqueda de la _____________. (pacto, abominables, riqueza).

135. a)

136.
Hemos caído en las mismas contrataciones que hicieron caer a Luzbel.

137.
Los sistemas bancarios son corruptos y están llenos de usura, la justicia también es corrupta, Los gobiernos venden su integridad por dinero.

138. a)
139.

Porque de la misma manera que el cielo ejerce su poder sobre los justos e injustos también la muerte es un imperio que cautiva y pastorea a los que están sujetos a ella a través de la iniquidad, la rebelión y el pecado. Los Salmos que revelan esto son 49:5-6 y 13 -15

140. b)

141.
La iniquidad financiera atrae en forma poderosa juicio de _________. (Ruina)

142.
Le debemos pedir al Señor que nos lo revele.

143.
Debo pedirle perdón a Dios por la iniquidad financiera y por mi pecado y / o de mis antepasados y cancelar la maldición poniendo el sacrificio de Cristo entre mi vida hasta la cuarta generación. Luego debo sondear todas las áreas en que yo podría haber cometido pecado poniendo mi confianza en las riquezas o cualquier otro pecado en el área del dinero que hubiera podido cometer y pedir perdón por ello.

144. a)
145. a)
146. b)
146. a)
147. a)

148.
El comprar y vender o tener un negocio con el fin de enriquecimiento personal.

149.
Dios quiere bendecirnos y lo hará en la medida que seamos la _________________ para ayudar y solucionar los _________________ de nuestro _____________. (Respuesta, problemas, prójimo).

150.
Hay que confesar nuestros pecados y nuestras iniquidades, y en caso de haber agraviado a alguien es necesario restituirle en la medida de lo posible. Habrá casos que será imposible. En el caso que se esté haciendo algo indebido, hay que enderezar el curso y dejar de hacer lo malo, ya que esto tarde o temprano traerá ruina sobre a la persona y sobre sus descendientes.

151. a)
152. a)

153.
Porque como pecado de adivinación es la ______________________________, y como _______________________ e _________________ la obstinación. (Rebelión, ídolos, idolatría.

154. a)
155. a)
    b)
    d)
    e)
156. a)
157. a)
158. a)
    b)
    d)

159.
Cada uno, según su país de origen, tiene que pedir perdón por su nación y purgar de su vida todo pacto e iniquidad que está en su sangre por causa de su cultura y de su raza.
160.
Las religiones están cargadas de ________________, porque son una obra de la ______________. Todo sistema religioso es en esencia __________________ y se opone al único ____. (Iniquidad, carne, Babilónico, Dios verdadero).

161. b)
162. a)
163. a)
164. a)
165. a)
    b)
    d)
    e)
166. a)

167.
La iniquidad es tan fuerte que atrae todo tipo de maldiciones, tales como las descritas en Deuteronomio 28.
168.
Para salir de este ciclo de injusticia y agravio es necesario buscar primeramente en nuestros _________________ donde hemos sido ________________________ con otros. Después de esto pedir __________________ si se desconoce el caso donde se origina este pecado y ésta iniquidad y pedir __________________________ a Dios por la iniquidad de _______________ _______________________. (corazones, injustos , revelación, perdón, nuestros antepasados).

169. b)
170. a)
171. b)
172. b)

173.
La ________________ es el principio de una __________ de __________________________
y ______________, dirigida por el ______________ de _____________________________.

174. a)
175. a)

176.
"Fornicación, vino y mosto __________ el __________. Mi pueblo a su ídolo de madera pregunta, y el león le responde; porque espíritu de ________________________ lo hizo errar, y dejaron a su Dios para ______________...., por tanto el pueblo sin entendimiento __________" "No piensan en convertirse a su Dios, porque espíritu de __________________ está en medio de ellos, y no conocen a __________". (Quitan/juicio/fornicación/fornicar/caera/fornicación/Jehová).

177. a)
178. b)
179. a)

180.
Se toma un papel y lápiz y se hace una lista detallada de ídolos que hayan sido adorados por uno mismo y/o por los familiares. Se anota qué pactos hicieron con dichas imágenes, o espíritus, y qué promesas u ofrendas fueron hechas. "Solo luego" de haber hecho todo esto, "en detalle" y con un corazón quebrantado y arrepentido, se le pide perdón a Dios y "se ordena a la iniquidad salir de sus vidas".
Por otro lado hay que elaborar una lista de todas las situaciones donde haya habido interacción sexual fuera del matrimonio, pornografía, masturbación, incesto, adulterio, etc. Debemos ser minuciosos y específicos. En caso que no recordemos los nombres de las personas con quienes estuvimos relacionados, el Espíritu Santo es poderoso para recordarnos cada caso, quizá no lo haga de una vez, sino que se tomara varias semanas.

181. a)
182. a)

183.
La razón es porque a través del Espíritu Santo lograron apartar las maldiciones por un tiempo, pero nunca desarraigaron su causa, que es la iniquidad. Cancelaron las maldiciones de sus vidas, pero no la raíz que le permitió entrar por lo tanto éstas regresan aún con más poder que antes.

184.
Tanto el ___________ como la _______________ y la _________________, requieren de un escudriño _______________, de una observación y análisis ____________________ de nuestro corazón. (Pecado/rebelión/iniquidad/profundo/exhaustivo).

185. a)
186. a)

187.
Una maldición es el _______ dado por _______ sobre una _____________ y su _____________________ como resultado de su ________________. (Pago/Dios/persona/descendencia/iniquidad).

188.
Podemos identificarlas a través de varios síntomas recurrentes que provienen de raíces específicas de iniquidad

189.
2) Identificar las causas de las maldiciones
4) Proclamar la victoria de Jesús en la cruz sobre nuestras vidas, donde El se hizo maldición para liberarnos (Gálatas 3:13 y 14)
1) Arrepentirse de la iniquidad por la cual éstas maldiciones son recurrentes
3) Revocar y cancelar las maldiciones, rompiendo su poder sobre su vida

190.

a)Las causas encontradas son divorcio, abuso, violación y pornografía, hechicería, idolatría.

b) Esto ha ocasionado o acabará por ocasionar en la vida de Laura alguno o todos de los siguientes problemas: Con respecto a las causas por divorcio y pornografía los problemas son o serán: ginecológicos, flujo de sangre continuo, desórdenes crónicos en la menstruación, esterilidad, abortos naturales, problemas materiales, divorcios, deslealtad del cónyuge.
Referente a la causa de abuso, esto traerá problemas de hongos en la piel o uñas, fiebres y calamidades, agravios y abusos de todo tipo.

Por la causa de violación, los problemas que manifiestan las maldiciones serán: agravios y abusos de todo tipo
Por la hechicería y la idolatría los problemas manifiestos son o serán: propensión a accidentes, muertes prematuras, suicidios, derrota en contra de los enemigos.

c) Maldición soltada en cuanto a "divorcio y pornografía".
Sabemos que Laura ya ha purgado de su vida la iniquidad en ésta área. Por lo tanto vamos a revocar y cancelar éstas maldiciones activadas en su vida.
Laura debe tomar la autoridad que Cristo le ha dado y decir, desde su espíritu, algo como esto: En el nombre de Jesús, tomo toda autoridad que me ha sido conferida por Cristo Jesús y me levanto en contra de toda maldición que vino sobre mí, por causa de divorcio en mi familia y pornografía. Ya mi Señor Jesucristo me ha hecho libre de toda iniquidad por éstas causas. Vengo revocando todo daño ocasionado en mi vida y la de mi familia. Declaro que éstas maldiciones no tienen ningún poder sobre mi vida ni la de mi familia. Ya Jesucristo me redimió de la maldición de la ley, haciéndose El maldición por mí en el madero, para que en Él la bendición de Abraham me alcance, a fin de que por la fe yo reciba la promesa del Espíritu. Amen!, Aleluya!

COMENTARIOS CAPÍTULO 4

RESPUESTAS CAPÍTULO 5

191.
a) La justicia
b) La iniquidad

192. a)

193.
Es necesario que la justicia erradique toda forma de iniquidad en nuestro ser.
194. b)
195. b)
196. b)
197. a)
198. a)

199.
Donde quiera que haya iniquidad, encontramos una _______________ presencia de los _____________ de _________. (continua, juicios, Dios).

200. a)

201.
Son todas aquellas circunstancias, palabras que Dios habla a nuestras vidas, sueños y momentos de lucidez divina que nos permiten ver nuestros errores y endrezar nuestros caminos.
202. b)
203. a)

204.
Malaquías 3:2-3

205.
Es __________________ ser bendecidos y ___________________ de Su ___________ sin que el Señor trate nuestra _________________. (Imposible/participar/ gloria/iniquidad)

COMENTARIOS CAPÍTULO 5

RESPUESTAS CAPÍTULO 6

206. a)

207.
La justificación por medio de la fe, se produce cuando yo _______ con todo mi _______________ que Jesús ha tomado mis pecados en su cruz y ___________ mi _______ en esa cruz para ___________ por _________; cuando tomo la _______________ de _________ _________ ____ _________ _______________ ____ ___________, porque estoy _______________________ _______________________ y AVERGONZADO de que ______ _________ hayan llevado a ___________ a un sacrificio terriblemente _________ y _______________. (creo/corazón/pongo/vida/ vivr/ella/decisión/atrás/mi/vieja/manera/de/vivir/sicerametne/arrepentida/mis/obras/Jesus/cruel/doloroso).

208. a)
209. a)

210.
Es llamar al Espíritu del Dios viviente que venga a vivir en mi, uniéndose a mi espíritu, para lo cual debo estar sinceramente arrepentido de los pecados cometidos en mi vida, aún de aquellos que no he podido llegar a identificar, pero sabiendo que el Espíritu de Dios irá trayéndome convicción de los tales. Para invocar el nombre el Señor debo reconocer mis obras pecaminosas, sabiendo que ellas llevaron a Jesús a un sacrificio terriblemente cruel y doloroso. Debo anhelar una nueva vida en mí dejando atrás mi vieja manera de vivir.

211. a)
212. NO
213. b)
214. b)
215. a)
216. b)
217. a)
218. a)
219. a)

221.
La Iglesia primitiva creció en el _________ de _________ y en su ______________. _______________ lo que Jesús hizo por ellos, viviendo una vida que ____________________ a Dios. (Temor/Dios/justicia/honrando/glorificaba).

222. a)

223.
Porque se produce un cambio total en la manera de pensar del hombre. Su sed y su hambre serán las cosas del cielo. Nunca más este mundo tendrá algo que lo atraiga. La simiente de vida, Jesucristo en él, lo estará llenando de fuerzas, fuego, y resurrección. No podrá vivir más según la carne, pues el vivirá según el Espíritu.

224.
"Mas vosotros no vivís según la _________, sino según el Espíritu, si es que el Espíritu de Dios _________ en vosotros. Y si alguno no tiene el Espíritu de Dios, ____ es de El". (Carne, mora, no).

225. a)
b)
c)
d)
226. a)
227. a)
228. a)
229. b)
230. a)
231. a)

232.
1 Juan 5:16-18

233.
Significa mantenerse santo, sin practicar los pecados con los que el mundo peca, esto es la consecuencia de ser guiados por el Espíritu de Dios.

234. a)

235.
Mateo 19:16-22

236.
La misión de Jesucristo, según las Pág. 158, es la reconciliación con el Padre. Llevándonos a entender cuanto dolor hay en el corazón del Padre por causa de nuestros pecados.

237. a)
238. b)

239.
La nueva creación es la ____________________ de ______________ No es lo que hagamos ______________ sino en lo que nos __________________. La nueva creación ______ es la adopción de una filosofía sino _____ __________ en la ____________ de ______________ ser. (resurrección/ nuestro/ espíritu/ religiosamente/convertimos/no/un/cambio/esencia/ nuestro).

240. a)
241. a)
242. a)
243. b)
244. b)
245. b)
246. a)
247. a)
248. a)
249. b)
250. a)
251. a)

252.
Es en el _______________ donde se lleva a cabo la ____________ del _____________ de _______ y del ___________________, para que sea engendrada una ______________ ___________________ __________________ que irá creciendo a semejanza de Dios. (Bautismo/union/ Espíritu/Dios/hombre/nueva/ criatura/espiritual/).

253. a)

254.
La nueva creación es real, afecta todo ___________ ______, invade nuestra __________ y destruye el _____________ de ______________. Es luz visible y poder de Dios. Es evangelizadora por ______________, está llena de _______ y de ___________, porque es ______ mismo ______ al _____________. (nuestro/ser/ mente/cuerpo de pecado/naturaleza/vida/fuego/ Dios/unido/hombre).

255.
Una vez engendrado el espíritu empezará un crecimiento interior. Cada parte de nuestro

espíritu ira siendo despertada y desarrollada. Una nueva sensibilidad empezará a percibirse. Cosas que antes nos gustaban, de pronto las aborrecemos. Nos sentimos ajenos a ambientes mundanos. Nos molesta oír palabras soeces; sobre todo aborrecemos pecar y contristar al Espíritu Santo.
La nueva creación anhela las cosas de lo alto, no puede permanecer callada, tiene que contarle a todo el mundo a cerca de Jesús, se complace en orar y en dar. Es valiente y ama la justicia, está llena de temor de Dios y de amor hacia el prójimo. Estima todo por basura, a fin de conocer a Jesús y el poder de su resurrección.

256. a)

257.
Por causa de la iniquidad, por esto muchos se sienten como anclas que los detienen para no dar pasos resueltos.

258.
Es todo un cuerpo de pecado y maldad arraigado en nuestro espíritu. La iniquidad ha corrompido toda la estructura de nuestro comportamiento y nuestros pensamientos; y a demás se ha metido en los huesos y en las entrañas.

259. a)

260.
- Pedirle al Espíritu Santo que nos ayude en este proceso de liberación.
- Hacemos una oración que traiga a nosotros un verdadero espíritu de arrepentimiento, para poder ver nuestras iniquidades.
- Consagramos el momento de nuestra concepción.
- Tomamos un cuaderno, y comenzamos a anotar, detallada y minuciosamente, todo lo que el Señor nos muestre o recuerde, lo cual, lo más factible, es que no será todo en un día.
- Con los pecados en el cuaderno, oraremos uno a uno sobre todos ellos, con una profunda convicción de pecado.
- Confesamos nuestra iniquidad y la de nuestros antepasados.
- Ordenamos sea desarraigada toda la iniquidad de nuestro espíritu y de nuestra alama.
- Ordenamos que la sustancia física que produjo la iniquidad y que se alojó en nuestros huesos y órganos, "salga".
- Cancele las maldiciones que se hayan adherido a la iniquidad en su vida.

261. a)
262. a)
263. b)

264. b)

265.
INCREDULIDAD
CORRUPCIO**N**
M**I**EDO
INI**Q**UIDAD
USURA
HOMOSEXUAL**I**DAD
CO**D**ICIA
ENVIDI**A**
DESOBEDIENCIA

COMENTARIOS CAPÍTULO 6

Multipliquémonos

Si usted desea promover este estudio en su iglesia o grupo, comuníquese a nuestro ministerio, ya que hemos diseñado diferentes paquetes con promociones con la intención de multiplicar liberadores.

customerservice@voiceofthelight.com
www.anamendezferrell.com
www.vozdelaluz.com

PRÓXIMAMENTE LIBRO DE ESTUDIO DE REGIONES DE CAUTIVIDAD

Acerca de la Dra. Ana Méndez Ferrell, autora del libro Iniquidad.

Doctora en Teología de la Universidad Latina de Teología de California, Ana Méndez Ferrell es conocida internacionalmente por su profundo conocimiento de la Palabra de Dios.

Su vida ha sido usada ampliamente en el área de Liberación, ayudando a miles de personas a salir de los caminos del ocultismo, depresión y las maldiciones generacionales que afectan la vida de muchos alrededor del mundo.

A través de su ministerio, sus libros y conferencias, Ana Méndez Ferrell entrena y capacita en el Poder de Dios a millares en más de 50 naciones.

Libros recomendados

-Regiones de Cautividad por Dra. Ana Méndez Ferrell

-Iniquidad por Dra. Ana Méndez Ferrell

-Pharmakeia, El Asesino Oculto de la Salud por Dra. Ana Méndez Ferrell

-Guerra de Alto Nivel por Dra. Ana Méndez Ferrell

-El Oscuro Secreto de G.A.D.U por Dra. Ana Méndez Ferrell

-Sentados en Lugares Celestiales Dra. Ana Méndez Ferrell

-Apocalipsis, La Revelación de Jesucristo por Dra. Ana Méndez Ferrell

Si deseas obtener recursos gratis, como podcasts, mp3, carta ministeriales y videos, visitános en www.voiceofthelight.com

Ana Méndez Ferrell, Inc

Visita nuestro sitio de internet

www.AnaMendezFerrell.com

Escribe a: Ana Méndez Ferrell, Inc.
P. O. Box 141
Ponte Vedra,
FL 32004-0141
Estados Unidos América

Email: store@anamendezferrell.com
Teléfono: 904.834.2447

Encuéntranos en **FACEBOOK** o síguenos en **TWITTER**
o mira nuestra canal de **YOUTUBE**

www.facebook.com/AnaMendezFerrellFanPage

www.twitter.com/AnaMendezF

www.youtube.com/vozdelaluz

Made in the USA
Middletown, DE
31 August 2023